'사고력수학의 시작'

팡세

pensées

S1

6세 | 패턴

사고가 자라는 수학

씨투엠

사고력 수학을 묻고
팡세가 답해요

Q: 사고력 수학은 '왜' 해야 하나요?

사고력 수학은 아이에게 낯선 문제를 접하게 함으로써 여러 가지 문제 해결 방법을 아이 스스로 생각하게 하는 것에 목적이 있어요. 정석적인 한 가지 풀이법만 알고 있는 아이는 결국 중등 이후에 나오는 응용 문제에 대한 해결력이 현저히 떨어지게 되지요. 반면 사고력 수학을 통해 여러 가지 풀이법을 스스로 생각하고 알아낸 경험이 있는 아이들은 한 번 막히는 문제도 다른 방법으로 뚫어낼 힘이 생기게 된답니다. 이러한 힘을 기르는 데 있어 사고력 수학이 가장 크게 도움이 된다고 확신해요.

Q: 사고력 수학이 '필수'인가요?

No but Yes! 초등 수학에서 가장 필수적인 것은 교과와 연산이지요. 또 중등에서의 서술형 평가를 대비하기 위한 서술형 학습과 어려운 중등 도형을 헤쳐나가기 위한 도형 학습 정도를 추가하면 돼요. 사고력 수학은 그 다음으로 중요하다고 할 수 있어요. 다만 만약 중등 이후에도 상위권을 꾸준하게 유지하겠다고 하시면 사고력 수학은 필수랍니다.

Q: 사고력 수학, 꼭 '어려운' 문제를 풀어야 하나요?

No! 기존의 사고력 수학 교재가 어려운 이유는 영재교육원 입시 때문이었어요. 상위권 중에서도 더 잘하는 아이, 즉 영재를 골라내는 시험에 사고력수학 문제가 단골로 출제되었고, 이에 대비하기 위해 만들어진 것이 초창기 사고력 수학 교재이지요. 하지만 모든 아이들이 영재일 수는 없고, 또 그래야할 필요도 없어요. 사고력 수학으로 영재를 확실하게 선별할 수 있는 것도 아니에요. 따라서 사고력 수학의 원래 목적, 즉 새로운 문제를 풀 수 있는 능력만 기를 수 있다면 난이도는 중요하지 않답니다. 오히려 어려운 문제는 수학에 대한 아이들의 자신감을 떨어뜨리는 부작용이 있다는 점! 반드시 기억해야 해요.

Q: 사고력 수학 학습에서 어떤 점에 '유의'해야 할까요?

가장 중요한 것은 아이가 스스로 방법을 생각할 수 있는 시간을 충분히 주는 거예요. 엄마나 선생님이 옆에서 방법을 바로 알려주거나 해답지를 줘버리면 사고력 수학의 효과는 없는 거나 마찬가지랍니다. 설령 문제를 못 풀더라도 아이가 스스로 고민하는 습관을 가지고, 방법을 찾아가는 시간을 늘리는 것이 아이의 문제해결력과 집중력을 기르는 방법이라고 꼭 새기며 아이가 스스로 발전할 수 있는 가능성을 믿어 보세요.

또 하나 더 강조하고 싶은 것은 문제의 답을 모두 맞힐 필요가 없다는 거예요. 사고력 수학 문제를 백점 맞는다고 해서 바로 성적이 쑥쑥 오르는 것이 아니에요. 사고력 수학은 훗날 아이가 더 어려운 문제를 풀기 위한 수학적 힘을 기르는 과정으로 봐야 하는 거지요. 그러니 아이가 하나 맞히고 틀리는 것에 일희일비하지 말고 우리 아이가 문제를 어떤 방법으로 풀려고 했고, 왜 어려워 하는지 표현하게 하는 것이 훨씬 중요하답니다. 사고력 수학은 문제의 결과인 답보다 답을 찾아가는 과정 그 자체에 의미가 있다는 사실을 꼭! 꼭! 기억해 주세요.

팡세의 구성과 특징

1. 패턴, 퍼즐과 전략, 유추, 카운팅 - 새로운 시대에 맞는 새로운 사고력 영역!

2. 아이가 혼자서도 술술 풀어나가며 자신감을 기르기에 딱 좋은 난이도!

3. 하루 10분 1장만 풀어도 초등에서 꼭 키워야 하는 사고력을 쑥쑥!

일일 소주제 학습

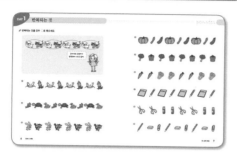

하루에 10분씩 매일 1장씩만 꾸준히 풀면 돼.

주차별 확인학습

5일 동안 배운 것 중 가장 중요한 문제를 복습하는 거야!

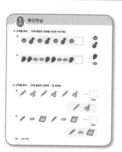

월간 마무리 평가

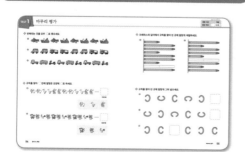

4주 동안 공부한 내용 중 어디가 부족한지 알 수 있다. 삐리삐리~

이 책의 차례

S1

pensées

반복 패턴

반복되는 것

✏️ 반복되는 것을 모두 ◯로 묶으세요.

❶

❷

❸

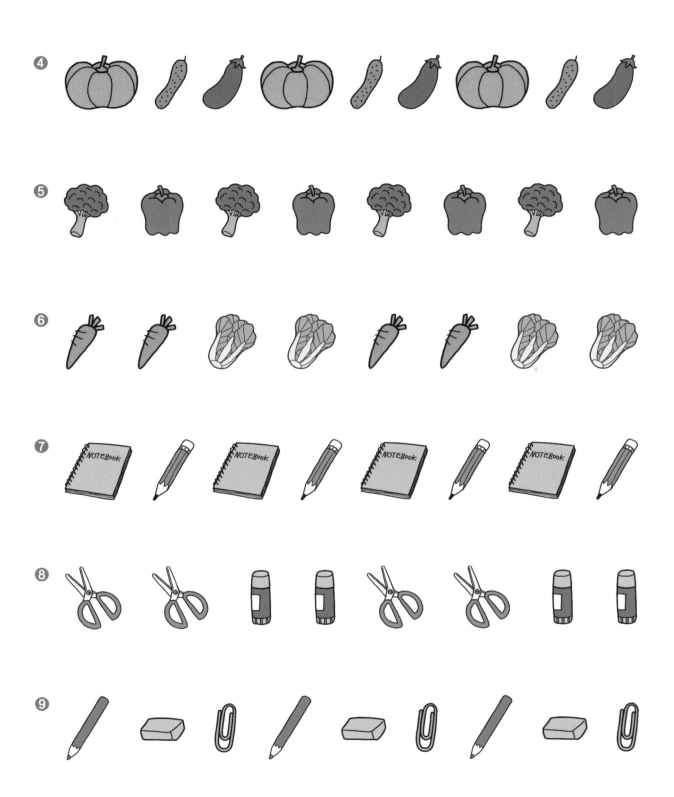

✏️ 규칙에 맞게 놓인 것에 ◯표, 규칙에 맞지 않게 놓인 것에 ✕표 하세요.

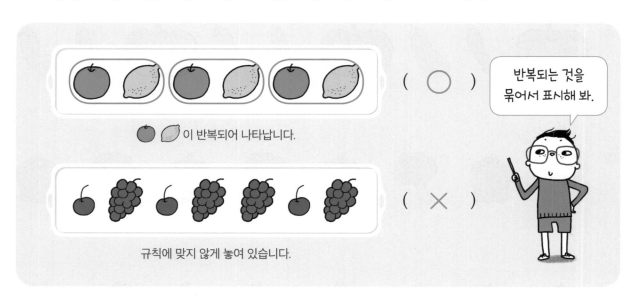

🍎 🍋 이 반복되어 나타납니다.

규칙에 맞지 않게 놓여 있습니다.

반복되는 것을 묶어서 표시해 봐.

❶

                                  (   )

❷

                                  (   )

❸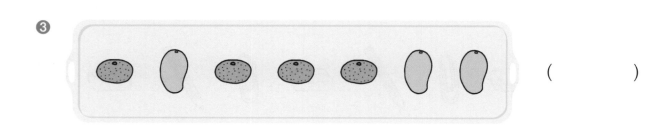

                                  (   )

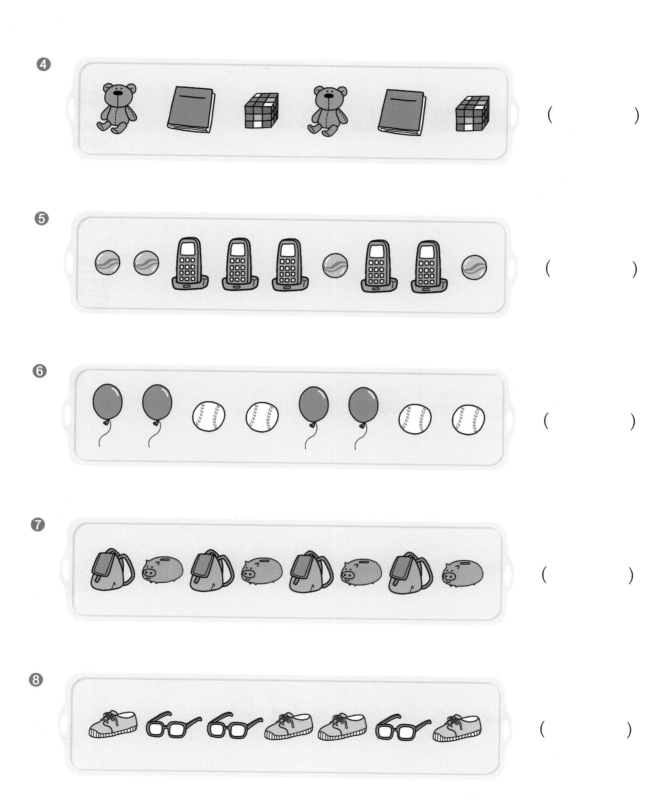

④   (   )

⑤   (   )

⑥   (   )

❼   (   )

❽   (   )

✏️ 규칙을 찾아 ☐ 안에 알맞은 모양을 선으로 이으세요.

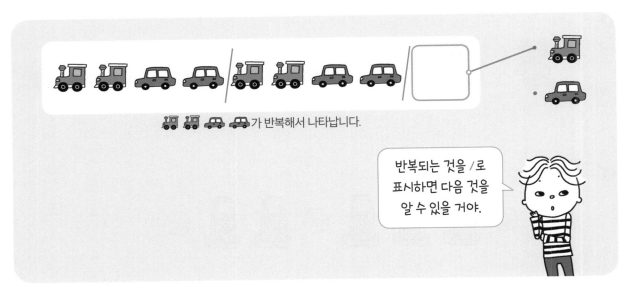

🚂🚂 🚗 🚗가 반복해서 나타납니다.

반복되는 것을 /로 표시하면 다음 것을 알 수 있을 거야.

 ①

②

③

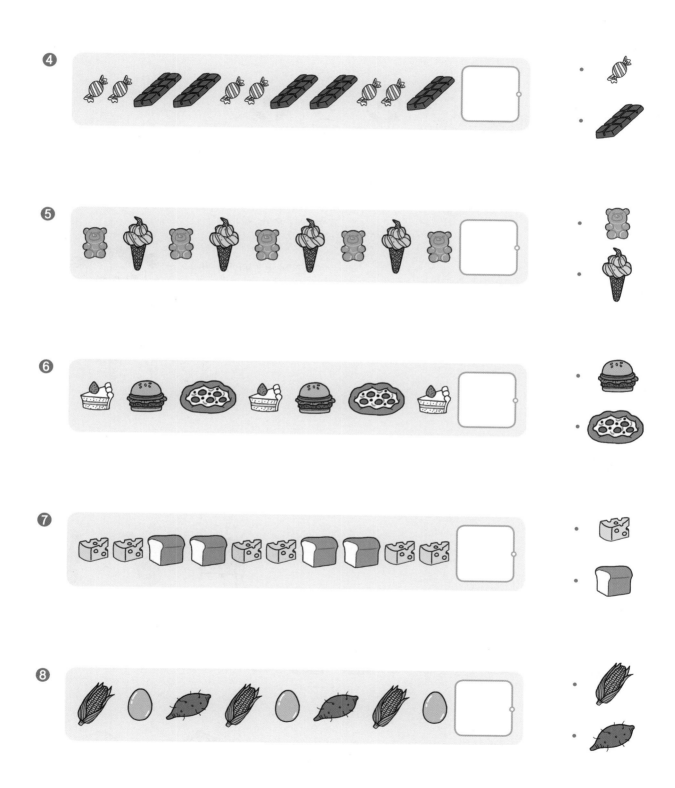

알맞은 모양 찾기 (2)

✏️ 규칙을 찾아 ☐ 안에 알맞은 모양에 ◯표 하세요.

①   ......

10번째

②   ......

11번째

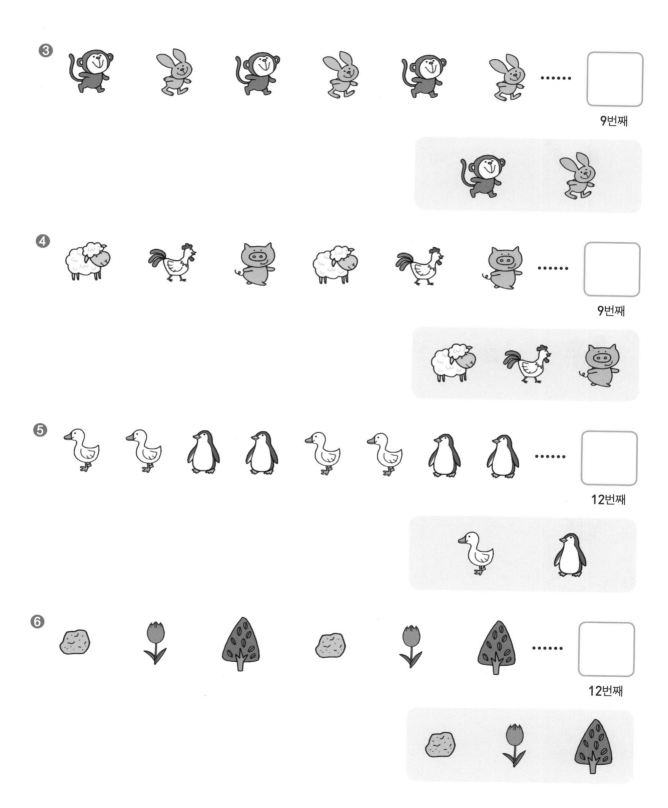

③

9번째

④

9번째

⑤

12번째

⑥

12번째

✏️ 동물 친구들이 각자의 규칙에 따라 미로를 통과합니다. 도착 지점에 알맞은 번호를 쓰세요.

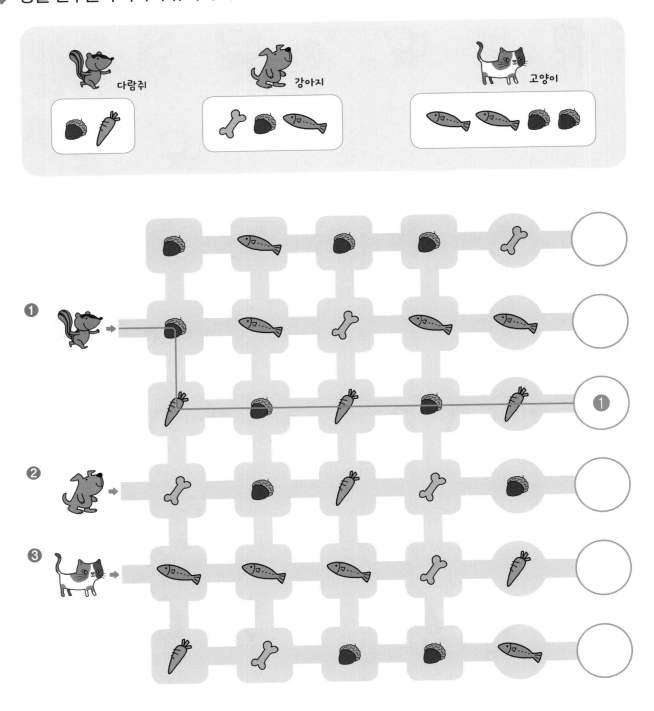

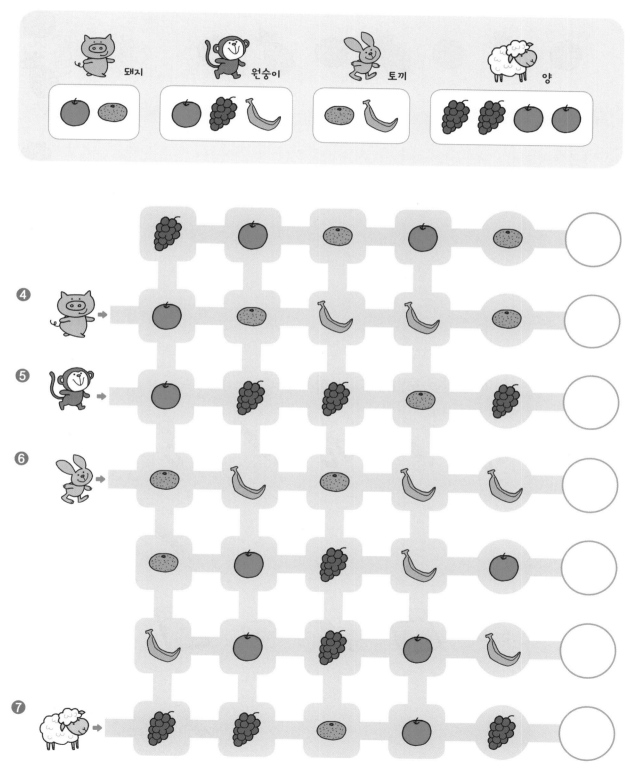

✏️ 규칙을 찾아 ☐ 안에 알맞은 모양을 선으로 이으세요.

❶

❷

✏️ 규칙을 찾아 ☐ 안에 알맞은 모양에 ◯표 하세요.

❸ ······ ☐
10번째

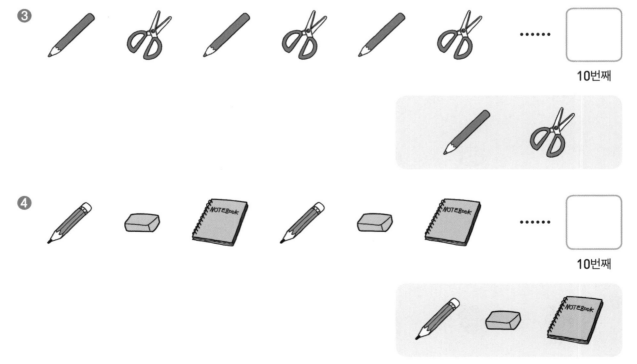

❹ ······ ☐
10번째

패턴과 마디

패턴의 마디 찾기

🖊 마디를 찾아 모두 ◯로 묶으세요.

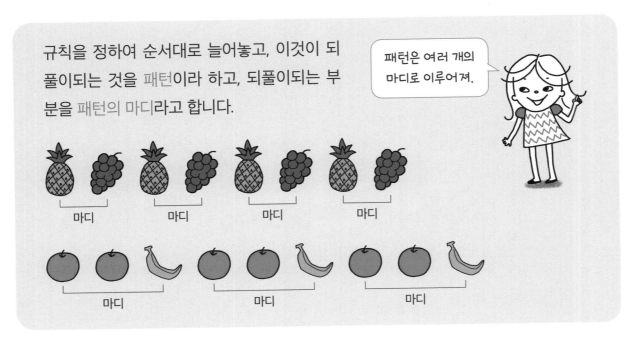

규칙을 정하여 순서대로 늘어놓고, 이것이 되풀이되는 것을 패턴이라 하고, 되풀이되는 부분을 패턴의 마디라고 합니다.

패턴은 여러 개의 마디로 이루어져.

❶

❷

❸

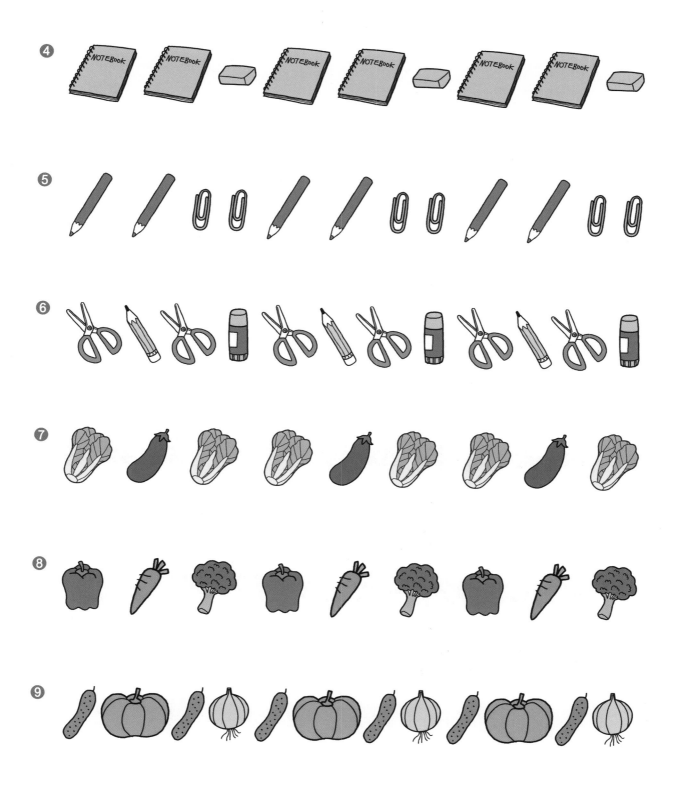

패턴 잇기

✏️ 왼쪽 패턴에 이어서 올 수 있는 것을 찾아 선으로 이으세요.

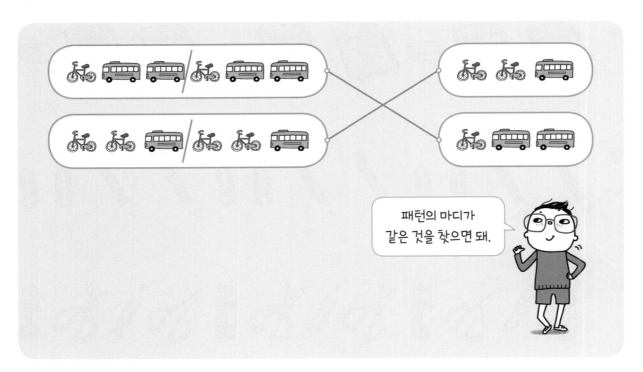

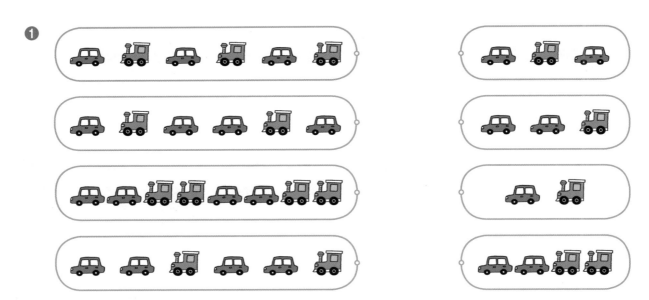

❷

❸

알맞은 모양 찾기 (1)

✏️ 규칙을 찾아 ☐ 안에 알맞은 모양을 선으로 이으세요.

❶

❷

❸

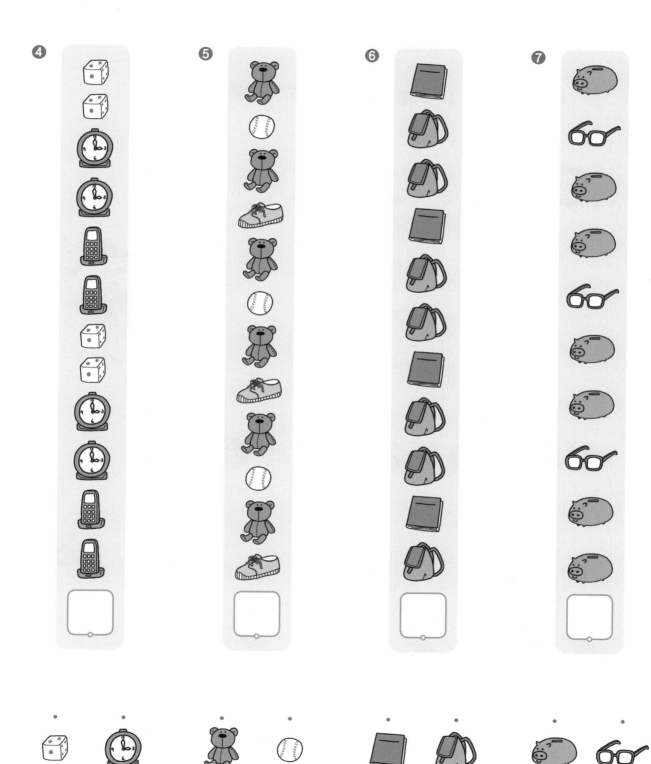

알맞은 모양 찾기 (2)

✏️ 규칙을 찾아 ☐ 안에 알맞은 모양에 ◯표 하세요.

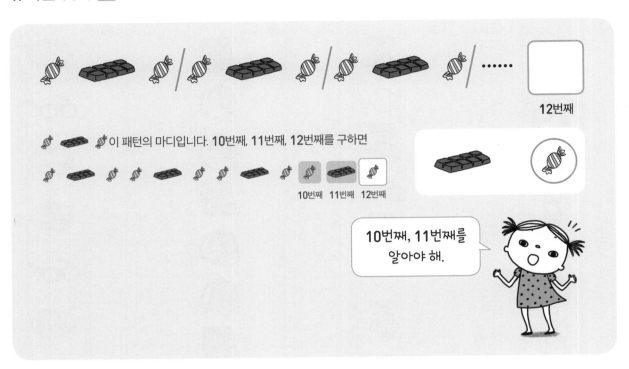

❶

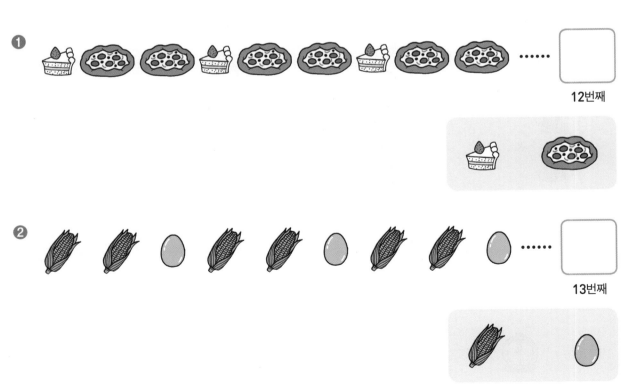

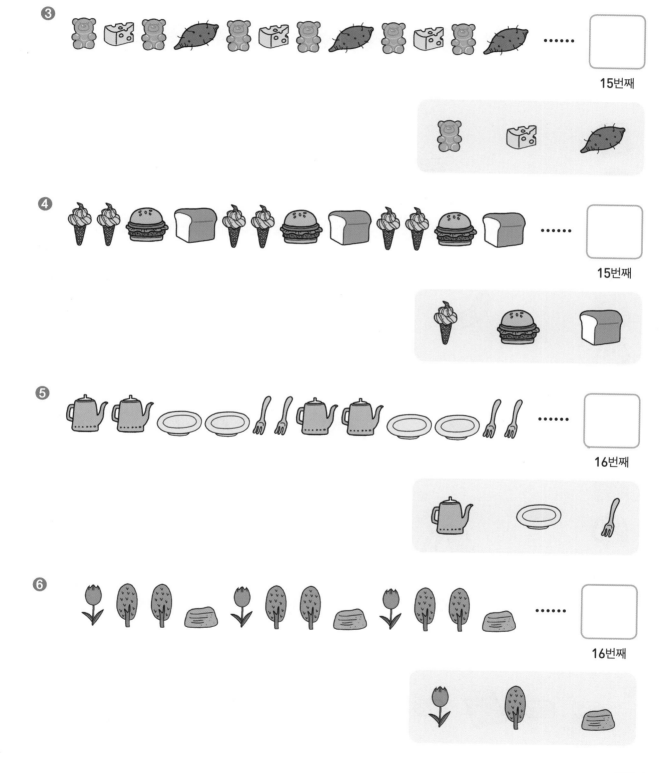

❸ 15번째

❹ 15번째

❺ 16번째

❻ 16번째

알맞은 모양 찾기 (3)

✏️ 규칙을 찾아 ☐ 안에 알맞은 모양을 선으로 이어 보세요.

⑤

⑥

⑦

⑧

✏️ 규칙을 찾아 ⬜ 안에 알맞은 모양을 선으로 이어 보세요.

❶

❷  ❸

❹

비교 패턴

✏️ 건물의 높이에서 규칙을 찾아 마지막 건물을 알맞게 색칠하세요.

> 높은 건물과
> 낮은 건물이
> 번갈아 가며 나타나.

❶

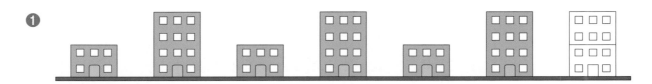

❷

❸

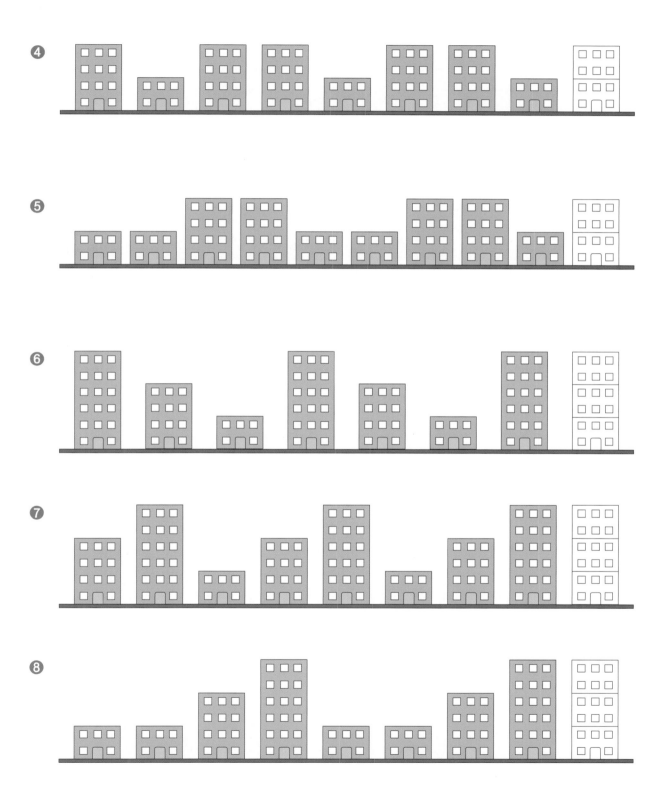

크다 작다

✏️ 주어진 패턴의 마디에 맞게 패턴을 만들어 보세요.

❶

❷

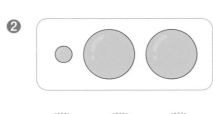

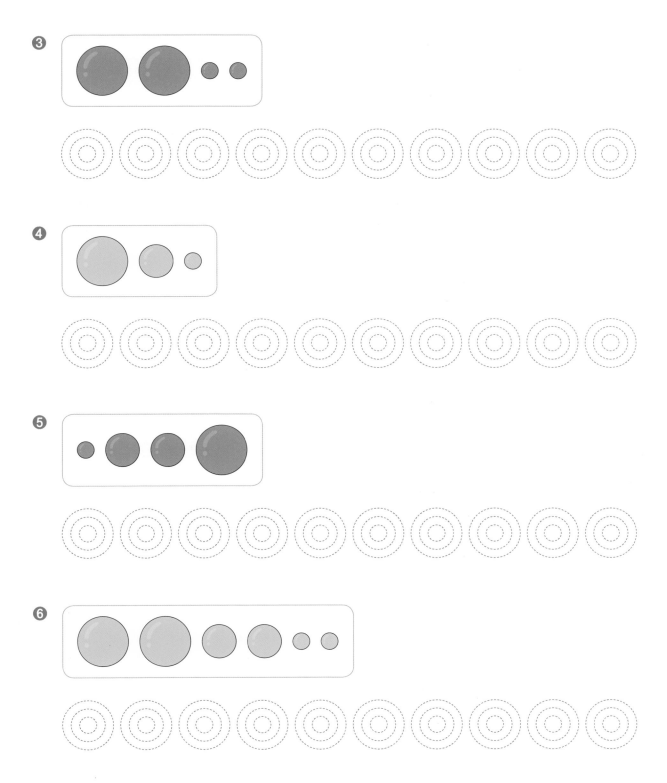

많다 적다

✎ 비커에 든 물의 양에서 규칙을 찾아 빈 비커를 알맞게 색칠하세요.

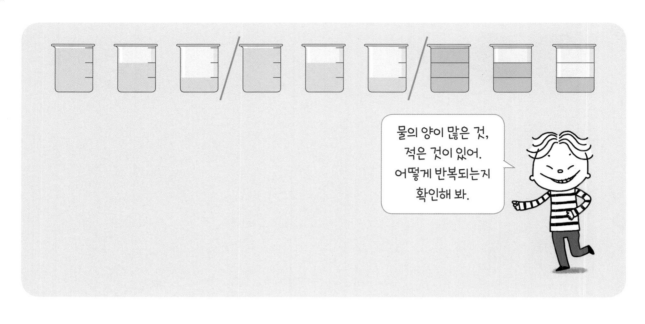

①

②

③

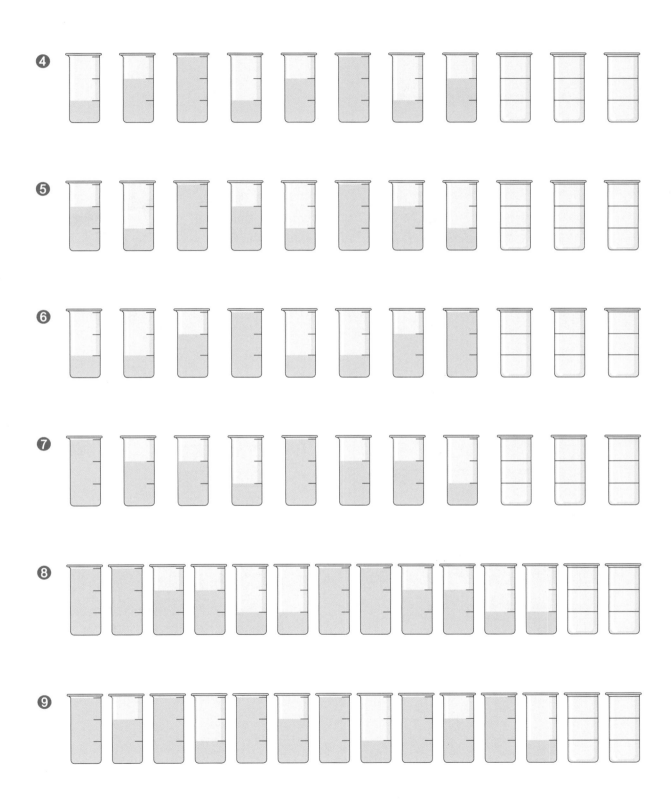

길다 짧다

크레파스의 길이에서 규칙을 찾아 빈 막대를 알맞은 길이만큼 색칠하세요.

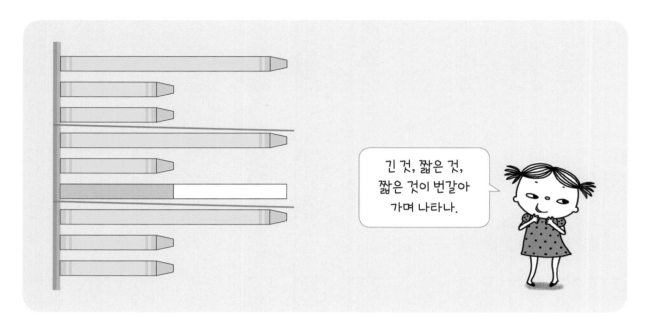

긴 것, 짧은 것, 짧은 것이 번갈아 가며 나타나.

❶

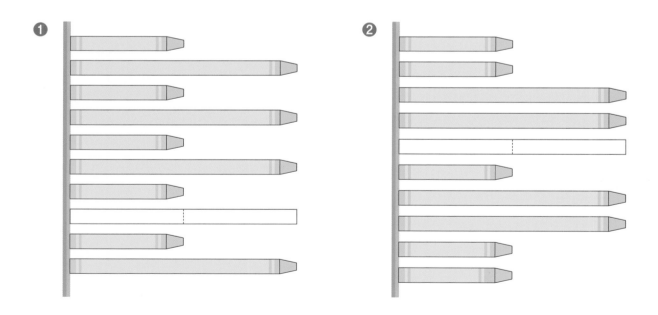

❷

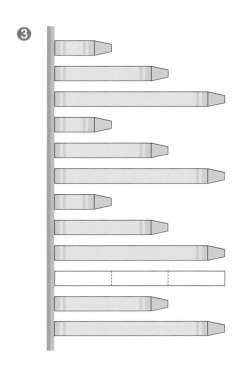

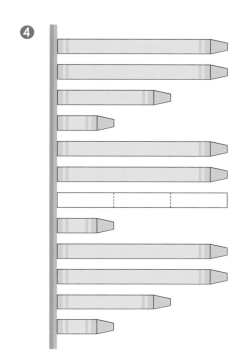

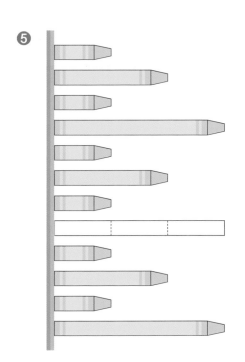

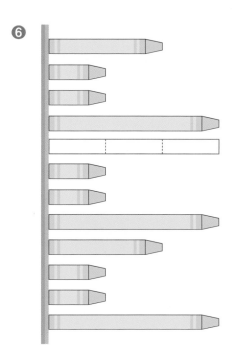

알맞게 그리기

✎ 규칙을 찾아 패턴의 모양을 완성하세요.

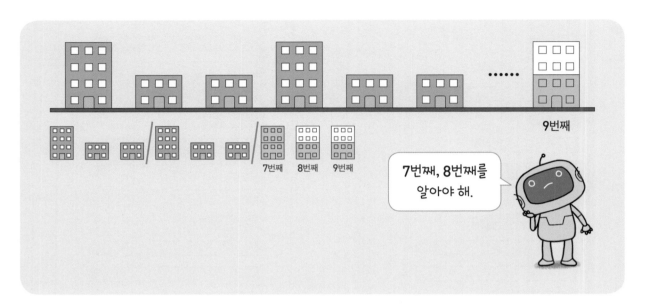

❶

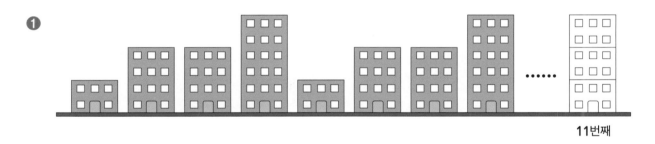

❷

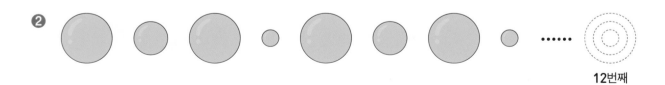

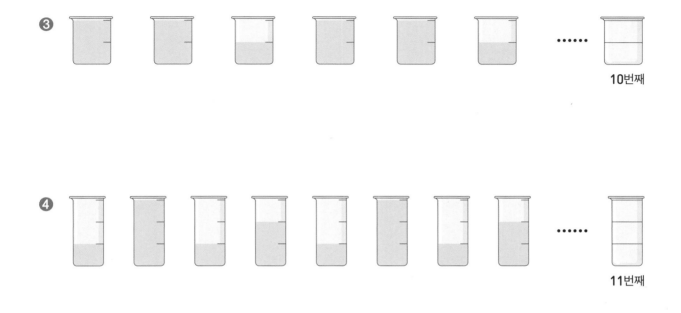

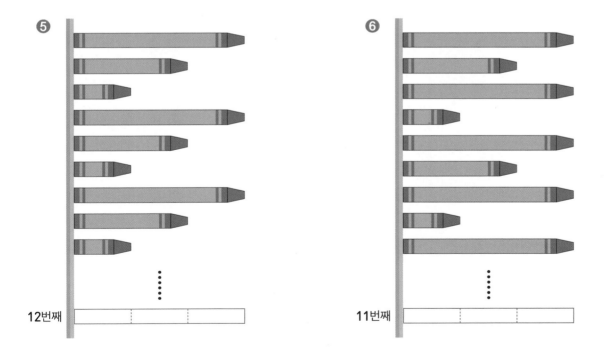

✏️ 규칙을 찾아 패턴의 모양을 완성하세요.

❶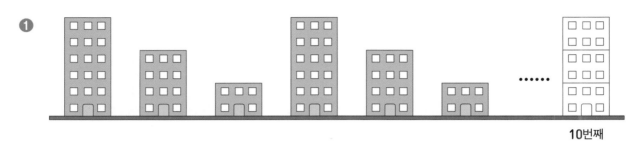

10번째

❷

11번째

❸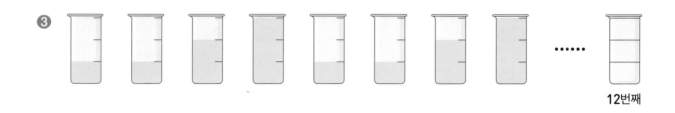

12번째

❹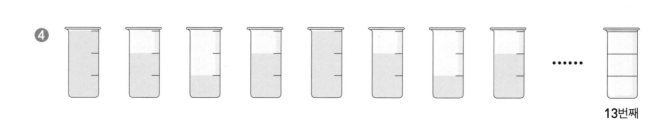

13번째

회전 이동 패턴

✏️ 규칙을 찾아 빈 곳에 알맞게 그려 넣으세요.

→ 만큼 회전합니다.

뚫린 부분의 위치가
어떻게 바뀌는지 생각해.

④ C C C C C ☐

⑤ ◡ ◡ ◡ ◡ ◡ ☐

⑥ ◡ C ◠ ） ☐ C

⑦ ） ◡ C ◠ ） ☐

⑧ C ◡ ） ◠ C ☐

⑨ ◡ ◠ ◡ ☐ ◡ ◠

화살표 패턴

✏️ 규칙을 찾아 알맞은 화살표를 색칠하세요.

↘ 만큼 회전합니다.

화살표가 가리키는
방향이 어떻게 바뀌는지
관찰해 봐.

①

②

③

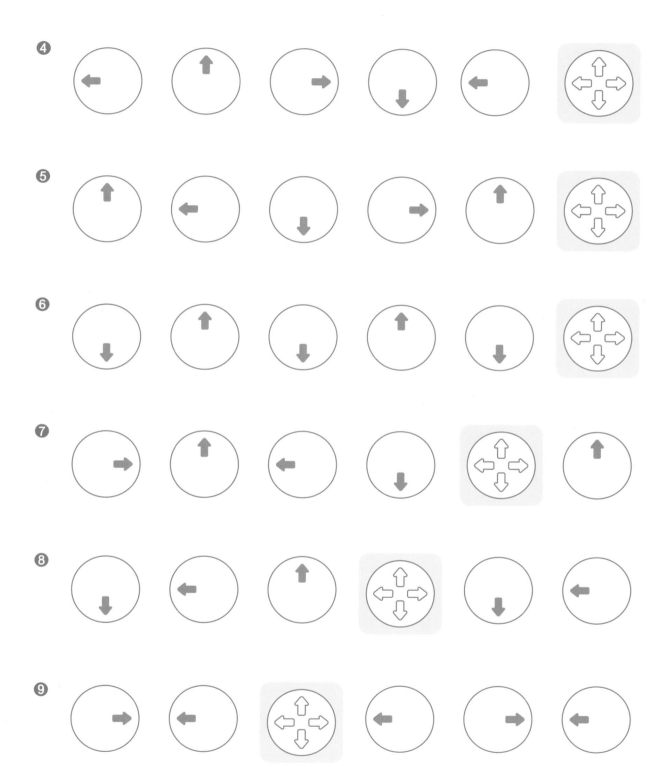

원반 패턴

✏️ 규칙을 찾아 빈 곳에 알맞게 색칠하세요.

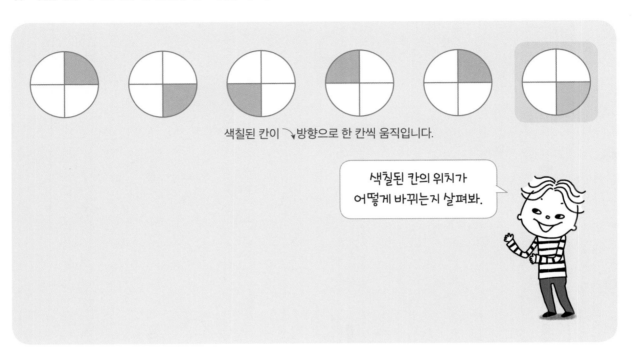

색칠된 칸이 ↘방향으로 한 칸씩 움직입니다.

색칠된 칸의 위치가
어떻게 바뀌는지 살펴봐.

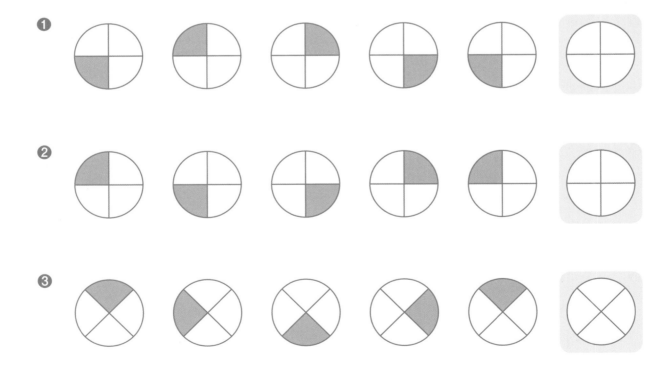

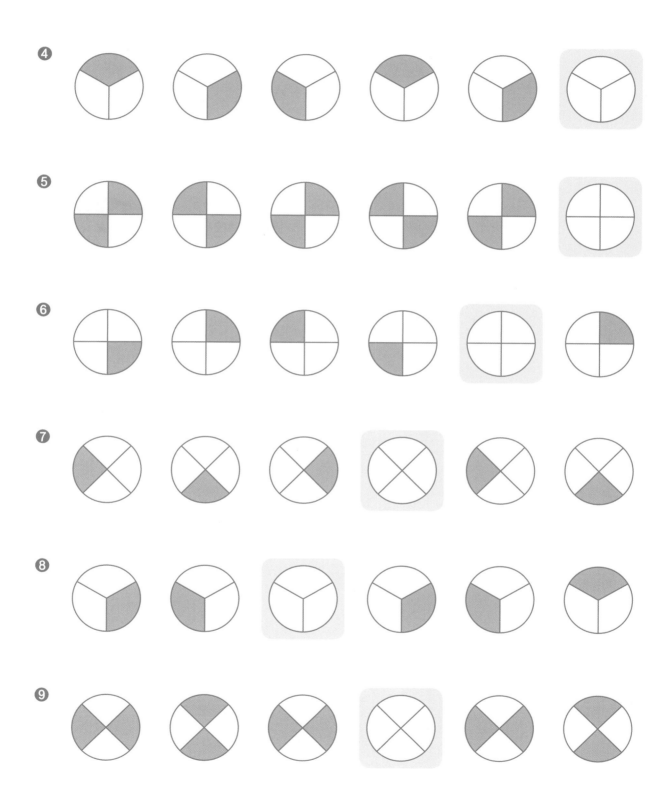

바코드 패턴

규칙을 찾아 빈 곳에 알맞게 색칠하세요.

색칠된 칸이 한 칸씩 아래로 움직입니다.

검은색, 흰색 막대로 만들어진 기호를 바코드라고 해.

❶

❷

❸

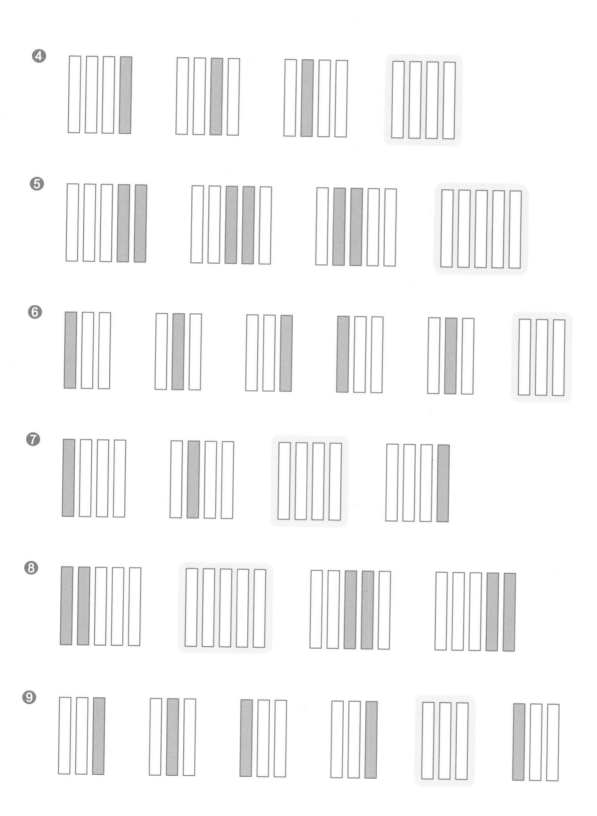

9번째 모양

✏️ 규칙을 찾아 9번째 모양을 완성하세요.

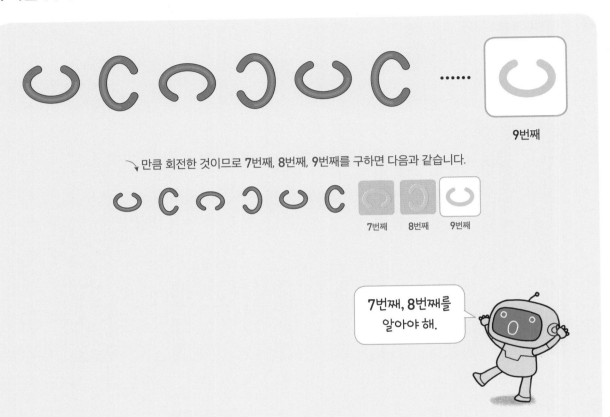

만큼 회전한 것이므로 7번째, 8번째, 9번째를 구하면 다음과 같습니다.

7번째   8번째   9번째

7번째, 8번째를
알아야 해.

❶

9번째

❷

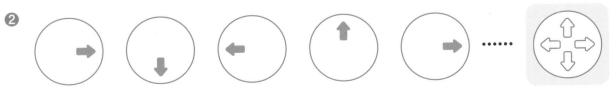

9번째

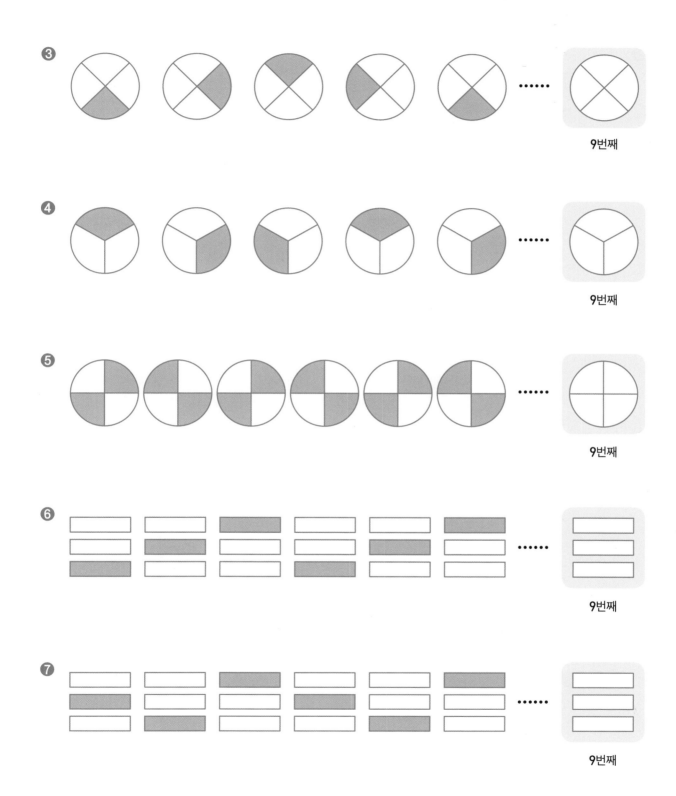

③ 9번째

④ 9번째

⑤ 9번째

⑥ 9번째

⑦ 9번째

✏️ 규칙을 찾아 **9**번째 모양을 알맞게 완성하세요.

❶

9번째

❷

9번째

❸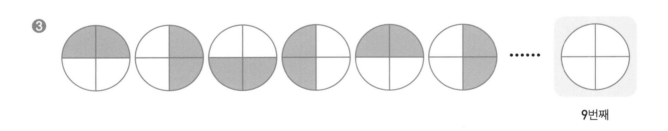

9번째

❹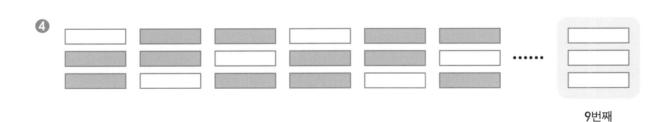

9번째

마무리 평가

마무리 평가는 앞에서 공부한 4주차의 유형이 다음과 같은 순서로 나와요.
틀린 문제는 몇 주차인지 확인하여 반드시 다시 한 번 학습하도록 해요.

1주차	3주차
2주차	4주차

❖ 반복되는 것을 모두 ◯로 묶으세요.

❶

❷

❸

❖ 규칙을 찾아 ☐ 안에 알맞은 모양에 ◯표 하세요.

❹

15번째

❺

15번째

✿ 크레파스의 길이에서 규칙을 찾아 빈 곳에 알맞게 색칠하세요.

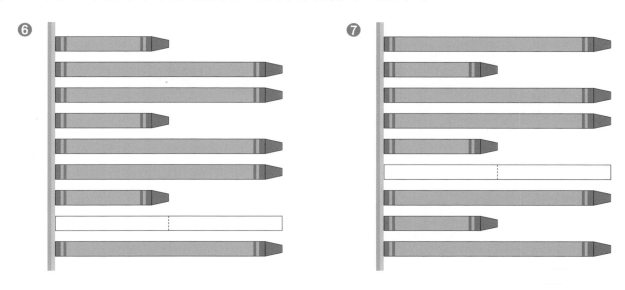

✿ 규칙을 찾아 빈 곳에 알맞게 그려 넣으세요.

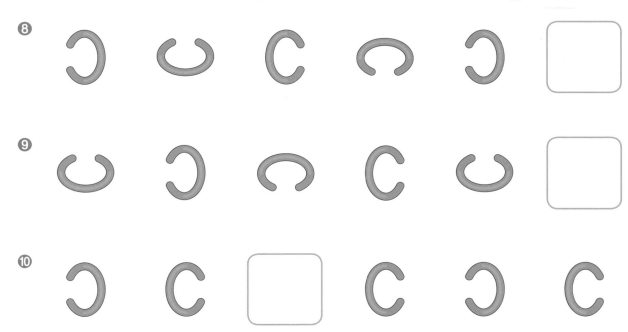

✛ 규칙에 맞게 놓인 것에 ◯표, 규칙에 맞지 않게 놓인 것에 ✕표 하세요.

❶

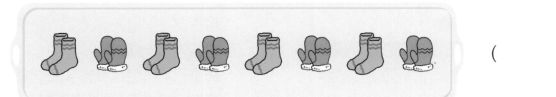

(   )

❷

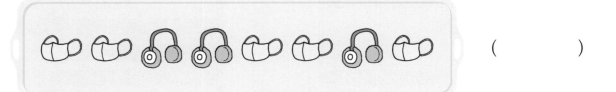

(   )

✛ 왼쪽 패턴에 이어서 올 수 있는 것을 찾아 선으로 이으세요.

❸

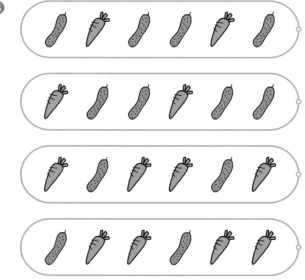

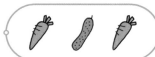

✿ 비커에 든 물의 양에서 규칙을 찾아 빈 비커를 알맞게 색칠하세요.

④

⑤

⑥

✿ 규칙을 찾아 알맞은 화살표를 색칠하세요.

⑦

⑧

✦ 규칙을 찾아 ☐ 안에 알맞은 모양을 선으로 이으세요.

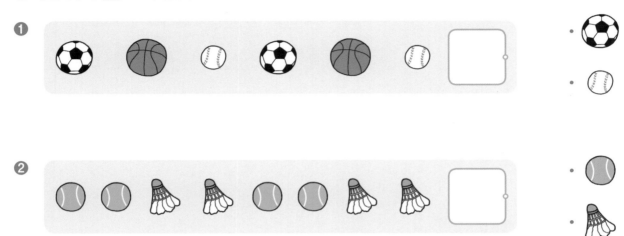

✦ 마디를 찾아 모두 ◯로 묶으세요.

③

④

⑤

❖ 주어진 패턴의 마디에 맞게 풍선 패턴을 만들어 보세요.

❻

❼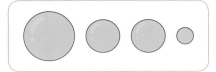

❖ 규칙을 찾아 빈 곳에 알맞게 색칠하세요.

❽

❾

❿

♣ 규칙을 찾아 ☐ 안에 알맞은 모양에 ◯표 하세요.

❶

11번째

❷

12번째

♣ 왼쪽 패턴에 이어서 올 수 있는 것을 찾아 선으로 이으세요.

❸

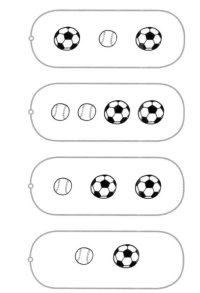

✤ 건물의 높이에서 규칙을 찾아 마지막 건물을 알맞게 색칠하세요.

❹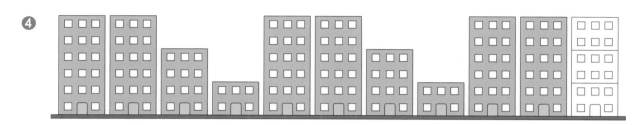

❺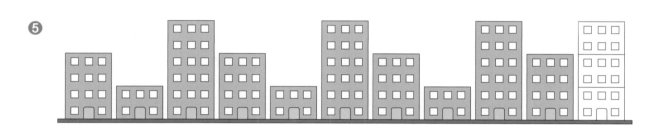

✤ 규칙을 찾아 빈 곳을 알맞게 색칠하세요.

❻

❼

❽

✛ 동물 친구들이 각자의 규칙에 따라 미로를 통과합니다. 도착 지점에 알맞은 번호를 쓰세요.

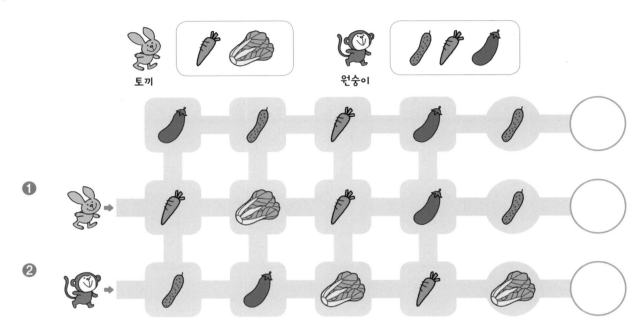

✛ 규칙을 찾아 ☐ 안에 알맞은 모양을 선으로 이으세요.

✿ 규칙을 찾아 빈 곳에 알맞게 색칠하세요.

❺
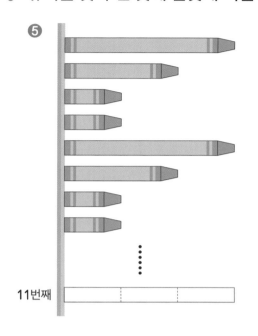

11번째

❻
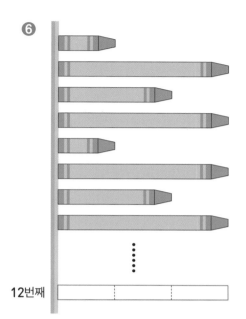

12번째

✿ 규칙을 찾아 10번째 모양을 완성하세요.

❼
     ······

10번째

❽
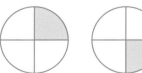 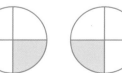 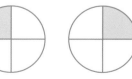 ······

10번째

pensées

사고가 자라는 수학
씨투엠

'사고력수학의 시작'

팡세
pensées

S1
정답과 풀이

사고가 자라는 수학

씨투엠

네이버 공식 지원 카페 필즈엠

씨투엠에듀 공식 인스타그램

'사고력수학의 시작'

펜세

pensées

S1

정답과 풀이

1주차 반복 패턴

DAY 1

반복되는 것

✏ 반복되는 것을 모두 ◯로 묶으에요.

간식으로 과자가
반복되어 나오고 있어.

④

⑤

⑥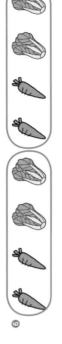

⑦

⑧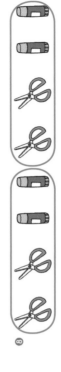

⑨

①

②

③

④ (◯)

⑤ (✕)

⑥ (◯)

⑦ (◯)

⑧ (✕)

DAY 2

반복 패턴 정리

✏️ 규칙에 맞게 놓인 것에 ◯표, 규칙에 맞지 않게 놓인 것에 ✕ 표 하세요.

(◯)

(✕)

'이 반복되어 나타납니다.'

규칙에 맞지 않게 놓여 있습니다.

반복되는 것을 묶어서 표시해 봐.

① (◯)

② (◯)

③ (✕)

pensées

④

⑤

⑥

⑦

⑧

1주차 반복 패턴

DAY 3

알맞은 모양 찾기 (1)

✒️ 규칙을 찾아 ☐ 안에 알맞은 모양을 선으로 이으세요.

①

②

③

DAY 4

알맞은 모양 찾기 (2)

✎ 규칙을 찾아 ☐ 안에 알맞은 모양에 ○표 하세요.

   10번째

①이 반복되어 나타나므로 7번째, 8번째, 9번째, 10번째를 구하면

7번째 8번째 9번째 10번째

7번째, 8번째, 9번째를 차례로 구해야 해.

반복되는 부분을 찾아 /표로 표시합니다.

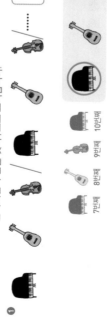 10번째

① 9번째 10번째 11번째

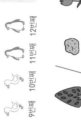 11번째

② 9번째 10번째 11번째

③ 9번째

7번째 8번째 9번째

④ 9번째

7번째 8번째 9번째

⑤ 12번째

9번째 10번째 11번째 12번째

⑥ 12번째

7번째 8번째 9번째 10번째 11번째 12번째

pensées

1주차 반복 패턴

DAY 5

패턴 미로 탐출

동물 친구들이 각자의 규칙에 따라 미로를 통과합니다. 도착 지점에 알맞은 번호를 쓰세요.

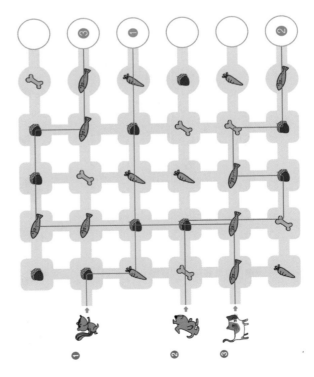

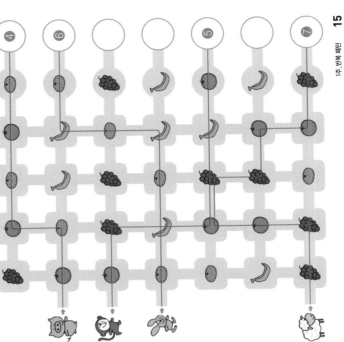

확인학습

✏ 규칙을 찾아 ☐ 안에 알맞은 모양을 선으로 이으세요.

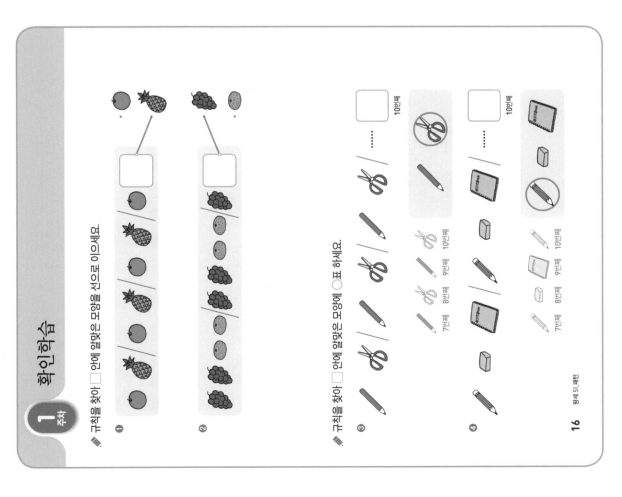

✏ 규칙을 찾아 ☐ 안에 알맞은 모양에 ◯표 하세요.

2주차 패턴과 마디

DAY 1   패턴의 마디 찾기

✏️ 마디를 찾아 모두 ◯로 묶으세요.

규칙을 정하여 순서대로 늘어놓고, 이것이 되풀이되는 것을 패턴이라 하고, 되풀이되는 부분을 패턴의 마디라고 합니다.

패턴은 여러 개의 마디로 이루어져.

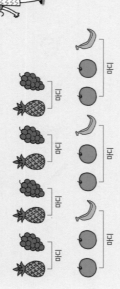

마디   마디   마디   마디

마디   마디   마디   마디

①

②

③

④

⑤

⑥

⑦

⑧

⑨

DAY 2 패턴 잇기

✎ 왼쪽 패턴에 이어서 올 수 있는 것을 찾아 선으로 이으세요.

패턴의 마디가
같은 것을 찾으면 돼.

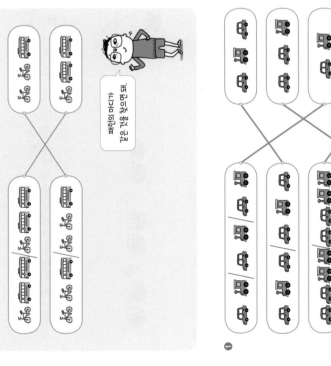

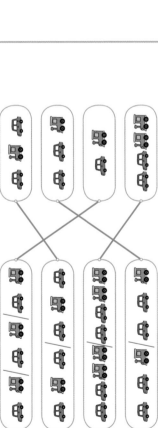

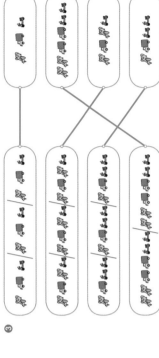

2주차 패턴과 마디

DAY 3

알맞은 모양 찾기 (1)

✏️ 규칙을 찾아 ☐ 안에 알맞은 모양을 선으로 이으세요.

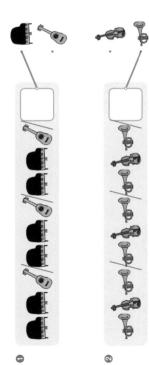

DAY 4

알맞은 모양 찾기 (2)

✎ 규칙을 찾아 □ 안에 알맞은 모양에 ○표 하세요.

12번째

이 패턴의 마디입니다. 10번째, 11번째, 12번째를 구하면

10번째 11번째 12번째

10번째, 11번째를 알아야 해.

❶ 12번째

10번째 11번째 12번째

❷ 13번째

10번째 11번째 12번째 13번째

③ 15번째

13번째 14번째 15번째

④ 15번째

13번째 14번째 15번째

⑤ 16번째

13번째 14번째 15번째 16번째

⑥ 16번째

13번째 14번째 15번째 16번째

2주차 패턴과 마디

DAY 5

알맞은 모양 찾기 (3)

규칙을 찾아 ☐ 안에 알맞은 모양을 선으로 이어 보세요.

① ② ③ ④

⑤ ⑥ ⑦ ⑧

확인학습

규칙을 찾아 □ 안에 알맞은 모양을 선으로 이어 보세요.

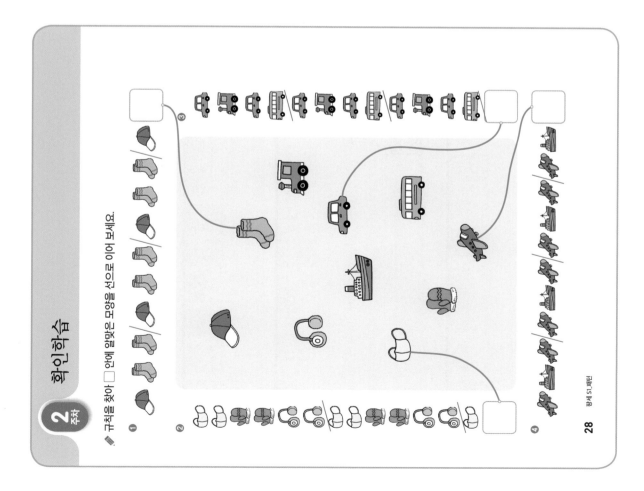

DAY 1

높다 낮다

pensées

✏️ 건물의 높이에서 규칙을 찾아 마지막 건물을 알맞게 색칠하세요.

높은 건물과
낮은 건물이
번갈아 가며 나타나.

①

②

③

④

⑤

⑥

⑦

⑧

③

④

⑤

⑥

DAY 2

크다 작다

주어진 패턴의 마디에 맞게 패턴을 만들어 보세요.

3개씩 나타나는 규칙이에요. 점선으로 된 칸에 알맞게 크기를 비교해서 붙여 보세요.

①

②

3주차 비교 패턴

DAY 3

많다 적다

비카에 든 물의 양에서 규칙을 찾아 빈 비카를 알맞게 색칠하세요.

물의 양이 많아지다가
어느 순간 적어졌어.
적은 것이 있니,
빈 칸에 알맞게
색칠해 봐.

①

②

③

④
⑤
⑥
⑦
⑧
⑨

pensées

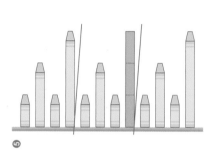

DAY 4

길다 짧다

✏ 크레파스의 길이에서 규칙을 찾아 빈 막대를 알맞은 길이만큼 색칠하세요.

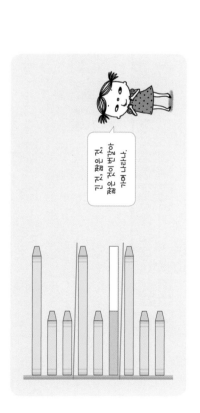

긴 것, 짧은 것,
짧은 것이 번갈아
가며 나타나.

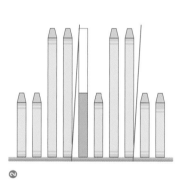

3주차

비교 패턴

pensées

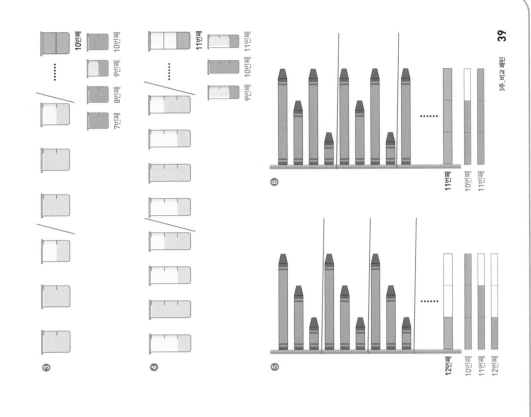

3주_비교 패턴

39

알맞게 그리기

◆ 규칙을 찾아 패턴의 모양을 완성하세요.

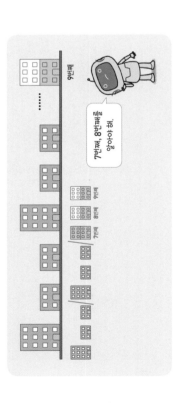

7번째, 8번째를 잊어야 해.

9번째

11번째

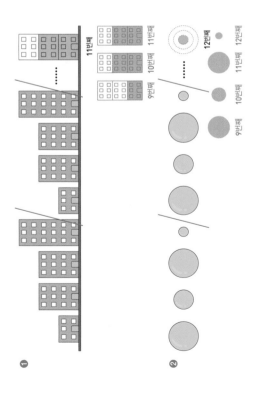

9번째 10번째 11번째

12번째

9번째 10번째 11번째 12번째

38

팡세 S1_패턴

확인학습

✏️ 규칙을 찾아 패턴의 모양을 완성하세요.

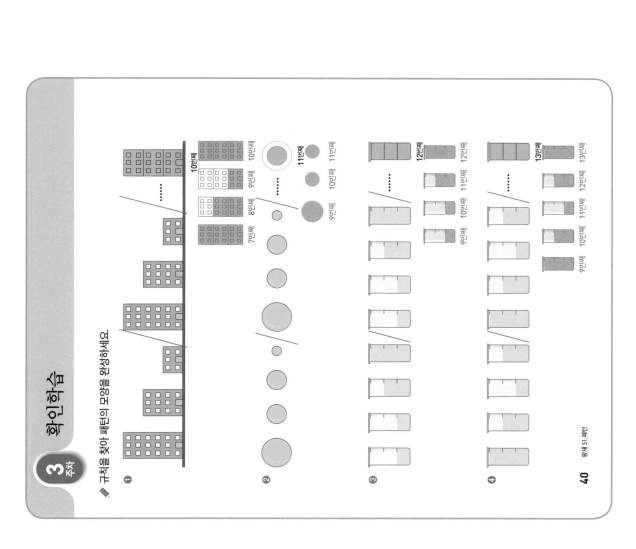

❶

❷ 7번째 8번째 9번째 10번째

9번째 10번째 11번째

❸ 9번째 10번째 11번째 12번째

❹ 9번째 10번째 11번째 12번째 13번째

4주차 회전 이동 패턴

DAY 1

고리 패턴

✏️ 규칙을 찾아 빈 곳에 알맞게 그려 넣으세요.

만큼 회전합니다.

돌린 부분의 위치가 어떻게 바뀌는지 생각해봐.

① 만큼 회전합니다.

② 만큼 회전합니다.

③ 만큼 회전합니다.

④ 만큼 회전합니다.

⑤ 만큼 회전합니다.

⑥ 만큼 회전합니다.

⑦ 만큼 회전합니다.

⑧ 만큼 회전합니다.

⑨ 만큼 회전합니다.

화살표 패턴

DAY **2**

규칙을 찾아 알맞은 화살표를 색칠하세요.

만큼 회전합니다.

화살표가 가리키는 방향이 어떻게 바뀌는지 관찰해 봐.

① 만큼 회전합니다.

② 만큼 회전합니다.

③ 만큼 회전합니다.

④ 만큼 회전합니다.

⑤ 만큼 회전합니다.

⑥ 만큼 회전합니다.

⑦ 만큼 회전합니다.

⑧ 만큼 회전합니다.

⑨ 만큼 회전합니다.

4주차 회전 이동 패턴

DAY 3 원반 패턴

✍ 규칙을 찾아 빈 곳에 알맞게 색칠하세요.

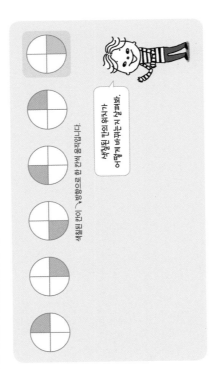

색칠된 칸의 위치가 어떻게 바뀌는지 살펴봐.

색칠된 칸이 ↘ 방향으로 한 칸씩 움직입니다.

① 색칠된 칸이 ↘ 방향으로 한 칸씩 움직입니다.

② 색칠된 칸이 ↙ 방향으로 한 칸씩 움직입니다.

③ 색칠된 칸이 ↘ 방향으로 한 칸씩 움직입니다.

pensées

④ 색칠된 칸이 ↘ 방향으로 한 칸씩 움직입니다.

⑤ 색칠된 칸이 ↘ 방향(또는 ↙) 방향으로 한 칸씩 움직입니다.

⑥ 색칠된 칸이 ↘ 방향으로 한 칸씩 움직입니다.

⑦ 색칠된 칸이 ↘ 방향으로 한 칸씩 움직입니다.

⑧ 색칠된 칸이 ↘ 방향으로 한 칸씩 움직입니다.

⑨ 색칠된 칸이 ↘ 방향(또는 ↙) 방향으로 한 칸씩 움직입니다.

DAY 4

바코드 패턴

✏️ 규칙을 찾아 빈 곳에 알맞게 색칠하세요.

검은색, 흰색 막대로 만들어진 기호를 바코드라고 해.

색칠된 칸이 한 칸씩 아래로 움직입니다.

① 색칠된 칸이 한 칸씩 위로 움직입니다.

②  색칠된 칸이 한 칸씩 아래로 움직입니다. 가장 아래 칸에서는 다시 가장 위 칸으로 갑니다.

③  색칠된 칸이 한 칸씩 위로 움직입니다. 가장 위 칸에서는 다시 가장 아래 칸으로 갑니다.

④ 색칠된 칸이 한 칸씩 왼쪽으로 움직입니다.

⑤ 색칠된 칸이 한 칸씩 왼쪽으로 움직입니다.

⑥ 색칠된 칸이 한 칸씩 오른쪽으로 움직입니다. 가장 오른쪽 칸에서는 다시 가장 왼쪽 칸으로 갑니다.

⑦ 색칠된 칸이 한 칸씩 오른쪽으로 움직입니다.

⑧ 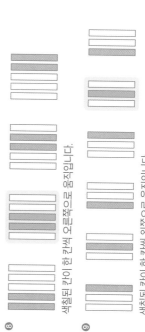 색칠된 칸이 한 칸씩 오른쪽으로 움직입니다.

⑨ 색칠된 칸이 한 칸씩 왼쪽으로 움직입니다. 가장 왼쪽 칸에서는 다시 가장 오른쪽 칸으로 갑니다.

4주차 회전 이동 패턴

DAY 5

9번째 모양

규칙을 찾아 9번째 모양을 완성하세요.

9번째

앞의 회전한 것이므로 7번째, 8번째, 9번째를 구하면 다음과 같습니다.

7번째 8번째 9번째

7번째, 8번째를 구하면 돼.

①
6번째 7번째 8번째 9번째

9번째

②
6번째 7번째 8번째 9번째

9번째

③
6번째 7번째 8번째 9번째

9번째

④
6번째 7번째 8번째 9번째

9번째

⑤
7번째 8번째 9번째

9번째

⑥
7번째 8번째 9번째

9번째

⑦
7번째 8번째 9번째

9번째

확인학습

규칙을 찾아 9번째 모양을 알맞게 완성하세요.

① 7번째 8번째 9번째 ⋯ 9번째

② 6번째 7번째 8번째 9번째 ⋯ 9번째

③ 7번째 8번째 9번째 ⋯ 9번째

④ 7번째 8번째 9번째 ⋯ 9번째

마무리 평가

pensées

제한 시간　15분
맞은 개수　　／10개

TEST 1

마무리 평가

❖ 반복되는 것을 모두 ◯로 묶으세요.

❶

❷

❸

❖ 규칙을 찾아 ☐ 안에 알맞은 모양에 ◯표 하세요.

❹ 13번째　14번째　15번째

15번째

❺ 13번째　14번째　15번째

15번째

❖ 크레파스의 길이에서 규칙을 찾아 빈 곳에 알맞게 색칠하세요.

❻

❼

❖ 규칙을 찾아 빈 곳에 알맞게 그려 넣으세요.

❽ 　만큼 회전합니다.

❾ 　만큼 회전합니다.

❿ 　만큼 회전합니다.

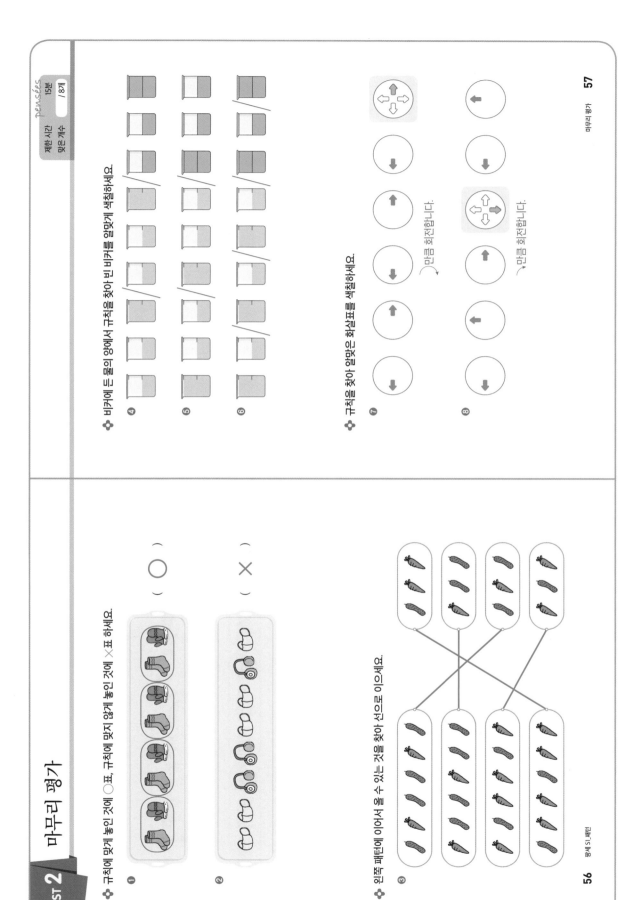

TEST 2

마무리 평가

❖ 규칙에 맞게 놓인 것에 ○표, 규칙에 맞지 않게 놓인 것에 ✕표 하세요.

❶

❷

◯

✕

❖ 왼쪽 패턴에 이어서 올 수 있는 것을 찾아 선으로 이으세요.

❸

❖ 빈칸에 든 물의 양에서 규칙을 찾아 빈 비커를 알맞게 색칠하세요.

❹

❺

❻

❖ 규칙을 찾아 알맞은 화살표를 색칠하세요.

❼

만큼 회전합니다.

❽

만큼 회전합니다.

마무리 평가

TEST 3

마무리 평가

Pensées
제한 시간 15분
맞은 개수 / 10개

❖ 규칙을 찾아 □ 안에 알맞은 모양을 선으로 이으세요.

①

②

❖ 마디를 찾아 모두 ◯로 묶으세요.

③

④

⑤

❖ 주어진 패턴의 마디에 맞게 풍선 패턴을 만들어 보세요.

⑥

⑦

❖ 규칙을 찾아 빈 곳에 알맞게 색칠하세요.

⑧

⑨ 색칠된 칸이 ↘ 방향으로 한 칸씩 움직입니다.

⑩ 색칠된 칸이 ↙ 방향으로 한 칸씩 움직입니다.

색칠된 칸이 (또는 ↘ 방향)으로 한 칸씩 움직입니다.

58 광세 S1 패턴

59 마무리 평가

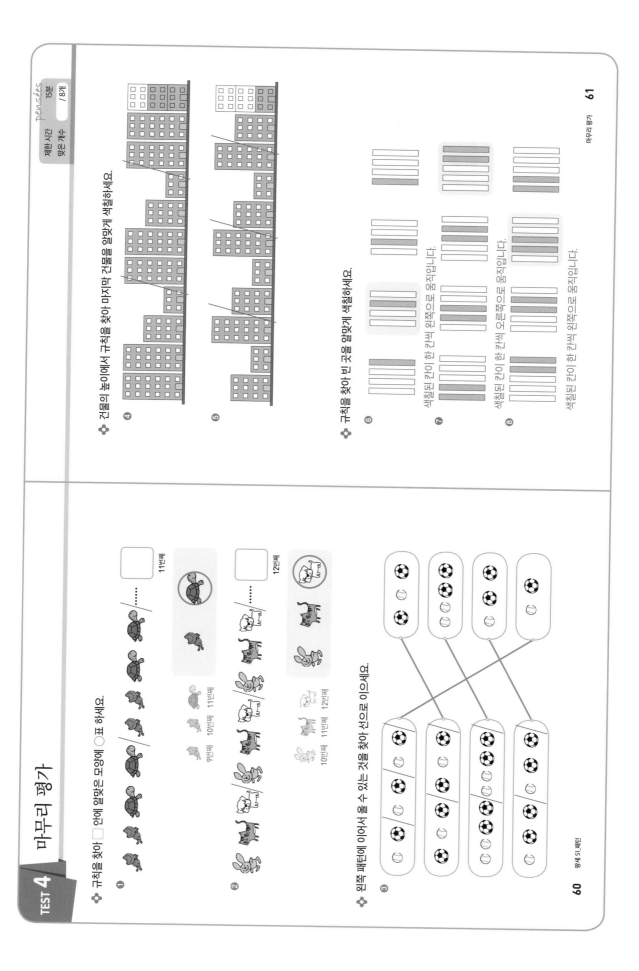

❖ 건물의 높이에서 규칙을 찾아 마지막 건물을 알맞게 색칠하세요.

④

⑤

❖ 규칙을 찾아 빈 곳을 알맞게 색칠하세요.

⑥

⑦

색칠된 칸이 한 칸씩 왼쪽으로 움직입니다.

⑧

색칠된 칸이 한 칸씩 오른쪽으로 움직입니다.

색칠된 칸이 한 칸씩 왼쪽으로 움직입니다.

마무리 평가

❖ 규칙을 찾아 ☐ 안에 알맞은 모양에 ◯표 하세요.

①

9번째 10번째 11번째

11번째

②

10번째 11번째 12번째

12번째

❖ 왼쪽 패턴에 이어서 올 수 있는 것을 찾아 선으로 이으세요.

③

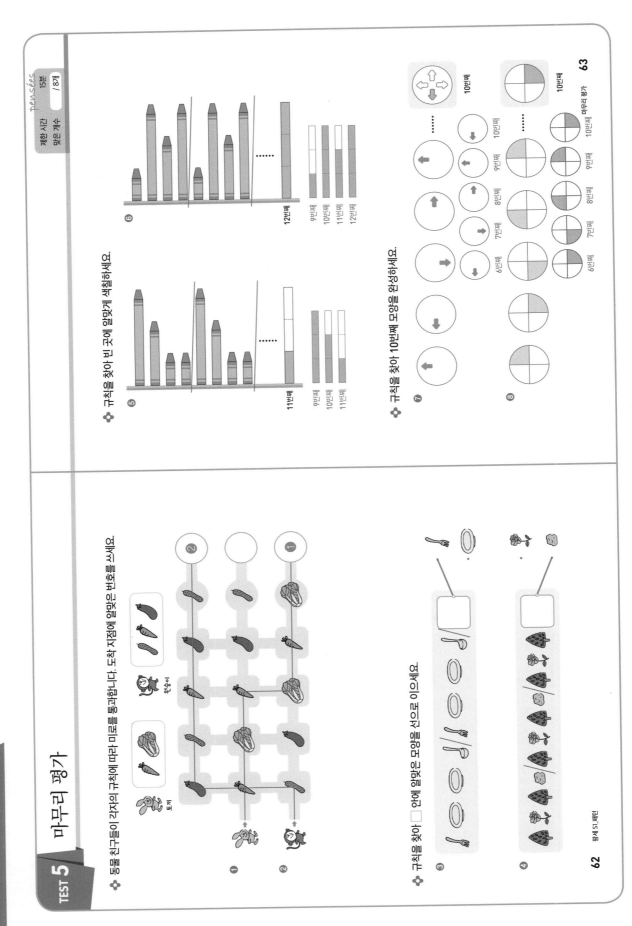

마무리 평가

TEST 5

마무리 평가

❖ 동물 친구들이 각자의 규칙에 따라 미로를 통과합니다. 도착 지점에 알맞은 번호를 쓰세요.

토끼

원숭이

❖ 규칙을 찾아 □ 안에 알맞은 모양을 선으로 이으세요.

③

④

❖ 규칙을 찾아 빈 곳에 알맞게 색칠하세요.

⑤

11번째

9번째
10번째
11번째

⑥

12번째

9번째
10번째
11번째
12번째

❖ 규칙을 찾아 10번째 모양을 완성하세요.

⑦

6번째 7번째 8번째 9번째 10번째

10번째

⑧

6번째 7번째 8번째 9번째 10번째

마무리 평가

10번째

pensées

pensées

㎝우엠 **지식과상상** 연구소 since 2013

교재 소개 및 난이도 안내

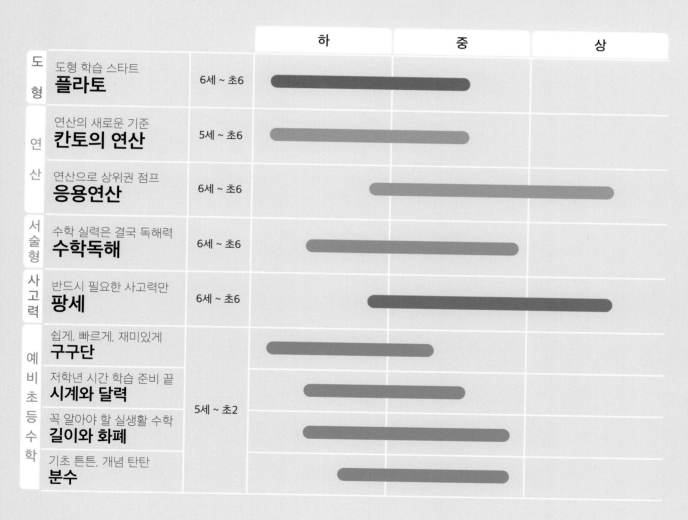

			하	중	상
도형	도형 학습 스타트 **플라토**	6세 ~ 초6			
연산	연산의 새로운 기준 **칸토의 연산**	5세 ~ 초6			
	연산으로 상위권 점프 **응용연산**	6세 ~ 초6			
서술형	수학 실력은 결국 독해력 **수학독해**	6세 ~ 초6			
사고력	반드시 필요한 사고력만 **팡세**	6세 ~ 초6			
예비초등수학	쉽게, 빠르게, 재미있게 **구구단**	5세 ~ 초2			
	저학년 시간 학습 준비 끝 **시계와 달력**				
	꼭 알아야 할 실생활 수학 **길이와 화폐**				
	기초 튼튼, 개념 탄탄 **분수**				

Man is but a reed,
the most feeble thing in nature;
but he is a thinking reed,

"인간은 자연에서 가장 연약한 갈대에 불과하다.
하지만 인간은 생각하는 갈대이다."

Blaise Pascal, 블레즈 파스칼

펜토미노턴

평면 공간감각을 길러주는 회전 펜토미노 퍼즐

초등학생들이 어려워하는 '평면도형의 이동'을 펜토미노와 패턴블록으로 도형을 직접 돌려 보며 재미있게 해결하는 공간감각 퍼즐입니다.

큐브빌드

입체 공간감각을 길러주는 멀티큐브 퍼즐

머릿속으로 그리기 어려운 입체도형을 쌓기나무와 멀티큐브를 이용하여 직접 만들어 위, 앞, 옆 모양을 관찰하고, 다양한 입체 모양을 만드는 공간감각 퍼즐입니다.

폴리탄

도형 감각을 길러주는 입체 칠교 퍼즐

정사각형을 7조각으로 자른 '입체 칠교'와 직각이등변삼각형을 붙인 '입체 볼로'를 활용하여 평면뿐만 아니라 다양한 입체도형 문제를 해결하는 퍼즐입니다.

트랜스넘버

자유자재로 식을 만드는 멀티 숫자 퍼즐

자유자재로 식을 만들고 이를 변형, 응용하는 활동을 통해 연산 원리와 연산감각을 길러주는 멀티 숫자 퍼즐입니다.

머긴스빙고

수 감각을 길러주는 창의 연산 보드 게임

빙고 게임과 머긴스 게임을 활용하여 수 감각과 연산 능력을 끌어올리고 전략적 사고를 키우는 사고력 보드 게임입니다.

폴리스퀘어

공간감각을 길러주는 입체 폴리오미노 보드 게임

모노미노부터 펜토미노까지의 폴리오미노를 이용하여 다양한 모양을 만들어 보고, 여러 가지 땅따먹기 게임 등을 통해 공간감각을 기를 수 있는 보드 게임입니다.

큐보이드

입체를 펼치고 접는 전개도 퍼즐

여러 가지 모양의 면을 자유롭게 연결하여 접었다 펼치는 활동을 통해 정육면체, 직육면체 전개도의 모든 것을 알아보는 전개도 퍼즐입니다.